SAMUEL BECKETT

Pas

suivi de

quatre esquisses

LES ÉDITIO

pas

7, rue Bernard-Palissy — 75006 Paris

ISBN 2-7073-0218-X

SAMUEL BECKETT

pas

suivi de

quatre esquisses

LES ÉDITIONS DE MINUIT

OUVRAGES DE SAMUEL BECKETT

Romans et nouvelles

Murphy
Watt
Premier amour
Mercier et Camier
Molloy
Malone meurt
L'innommable
Nouvelles (L'expulsé, Le calmant, La fin) et Textes pour rien
Comment c'est
Têtes-mortes (D'un ouvrage abandonné, Assez, Imagination morte imaginez, Bing, Sans)
Le dépeupleur
Pour finir encore et autres foirades
Compagnie
Mal vu mal dit

Poèmes, *suivi de* Mirlitonnades

Théâtre, télévision et radio

En attendant Godot
Fin de partie
Tous ceux qui tombent
La dernière bande, *suivi de* Cendres
Oh les beaux jours, *suivi de* Pas moi
Comédie et actes divers (Va-et-vient, Cascando, Paroles et musique, Dis Joe, Acte sans paroles I *et* II, Film, Souffle)
Pas, *suivi de* Quatre esquisses (Fragment de théâtre I *et* II, Pochade radiophonique, Esquisse radiophonique)
Catastrophe et autres dramaticules (Cette fois, Solo, Berceuse, Impromptu d'Ohio)

pas

MAY (M.) : *cheveux gris en désordre, peignoir gris dépenaillé, cachant les pieds, traînant sur le sol.*

VOIX DE FEMME (V.) : *au fond de la scène, dans le noir.*

Aire du va-et-vient : à l'avant-scène, parallèle à la rampe, longueur 9 pas, largeur 1 mètre, décentrée à droite (vue de la salle).

```
     d   8   7   6   5   4   3   2   d   ←
G  ------------------------------------------  D
     →   g   2   3   4   5   6   7   8   g
```

Va-et-vient : en partant du pied droit (d) de droite (D) à gauche (G), du pied gauche (g) de G à D.

Pas : nettement audibles, très rythmés.

Demi-tour : à gauche à G, à droite à D.

Texte avec va-et-vient : comme indiqué, demi-tour toujours en silence.

Eclairage : faible, froid. Seuls sont éclairés

l'aire et le personnage, le sol plus que le corps, le corps plus que le visage. Faible spot sur le visage le temps des haltes à D et G. Au fond à gauche, un mince rai vertical (R) 3 mètres de haut.
Voix : faibles, débit lent.
Rideau. Noir. Faible et bref son de cloche. Echo. Lente montée de l'éclairage, y compris R. M. apparaît se dirigeant à pas lents vers G. Elle fait demi-tour à G, encore trois longueurs, s'immobilise de face à D.
Un temps.

M. — Mère. *(Un temps. Pas plus fort.)* Mère.

V. — Oui, May.

M. — Dormais-tu ?

V. — D'un sommeil profond. Je t'ai entendue dans mon sommeil profond. Il n'est pas de sommeil si profond qu'il m'empêche de t'entendre. *(Un temps. M. repart. Quatre longueurs. Avec la deuxième, synchrone avec les pas.)* Sept huit neuf et hop. *(Avec la troisième, de même.)* Sept huit neuf et hop. *(Avec la quatrième.)* Ne veux-tu pas essayer de faire un petit somme ?

M. s'immobilise de face à D. Un temps.

M. — Veux-tu que je te pique... encore ?

V. — Oui, mais il est encore trop tôt.

Un temps.

M. — Veux-tu que je te change de côté... encore ?

V. — Oui, mais il est encore trop tôt.

Un temps.

M. — Que je retape tes oreillers ? *(Un temps.)* Que je change ton alaise ? *(Un temps.)* Que je te passe le bassin ? *(Un temps.)* La chaufferette ? *(Un temps.)* Que je panse tes croûtes ? *(Un temps.)* Que je te passe l'éponge ? *(Un temps.)* Que j'humecte tes pauvres lèvres ? *(Un temps.)* Que je prie avec toi ? *(Un temps.)* Pour toi ? *(Un temps.)* Encore.

V. — Oui, mais il est encore trop tôt.

Un temps. M. repart. Une longueur. S'immobilise de face à G. Un temps.

M. — Quel âge ai-je... déjà ?

V. — Et moi alors ? *(Un temps. Pas plus fort.)* Et moi alors ?

M. — Quatre-vingt-dix.

V. — Tellement ?

M. — Quatre-vingt-neuf, quatre-vingt-dix.

V. — Je t'ai eue tard. *(Un temps.)* Dans

ma vie. *(Un temps.)* Pardonne-moi... encore. *(Un temps. Pas plus fort.)* Pardonne-moi... encore.

Un temps.

M. — Quel âge ai-je... déjà ?

V. — La quarantaine.

M. — Seulement ?

V. — J'en ai peur. *(Un temps. M. repart. Quatre longueurs. Avec la deuxième longueur.)* May. *(Un temps. Pas plus fort.)* May.

M. — *(avec la troisième longueur).* Oui, mère.

V. — *(avec la troisième longueur).* N'auras-tu jamais fini ? *(Avec la quatrième longueur.)* N'auras-tu jamais fini de ressasser tout ça ?

M. s'immobilise de face à G.

M. — Ça ?

V. — Tout ça. *(Un temps.)* Dans ta pauvre tête. *(Un temps.)* Tout ça. *(Un temps.)* Tout ça.

Un temps. M. repart. Une longueur. L'éclairage s'éteint lentement, sauf R. M. s'immobilise à D dans le noir.

Un temps long.

Cloche un peu plus faible. Echo. L'éclairage

revient un peu plus faible. M. immobile de face à D. Un temps.

V. — Je rôde ici à présent. *(Un temps.)* Plutôt, j'arrive et je me... poste. *(Un temps.)* La nuit venue. *(Un temps.)* Elle s'imagine être seule. *(Un temps.)* Voyez comme elle se tient, le visage au mur. Cette fixité ! Cette impassibilité apparente ! *(Un temps.)* Elle n'est plus sortie depuis l'âge tendre. *(Un temps.)* Plus sortie depuis l'âge tendre ! *(Un temps.)* Où est-elle, peut-on se demander. *(Un temps.)* Mais dans la vieille demeure, la même où elle commença. *(Un temps.)* Où ça commença. *(Un temps.)* Tout ça commença. *(Un temps.)* Mais ceci, quand commença ceci ? *(Un temps.)* A l'époque où d'autres fillettes de son âge étaient dehors, à jouer à... à ce jeu du ciel et de l'enfer, elle était déjà ici. Commençait déjà ceci. *(Un temps.)* Le sol à cet endroit, nu aujourd'hui, était jadis —. *(M. part. Pas un peu plus lents. Quatre longueurs. Avec la première longueur.)* Mais admirons son port, en silence. *(Fin de la deuxième longueur.)* Avec quel chic le demi-tour ! *(Avec la troisième longueur, synchrone avec les pas.)* Sept huit neuf et hop ! *(M.*

s'immobilise de face à D.) Je disais donc que le sol à cet endroit, nu aujourd'hui, était jadis sous tapis, une haute laine. Jusqu'au jour où, la nuit plutôt, jusqu'à la nuit où, à peine sortie de l'enfance, elle appela sa mère et lui dit, Mère, ceci ne suffit pas. La mère : Ne suffit pas ? May — nom de baptême de l'enfant — May : Ne suffit pas. La mère : Que veux-tu dire, May, ne suffit pas, voyons, que peux-tu bien vouloir dire, May, ne suffit pas ? May : Je veux dire, mère, qu'il me faut la chute des pas, si faible soit-elle. La mère : Le mouvement à lui seul ne suffit pas ? May : Non, mère, le mouvement à lui seul ne suffit pas, il me faut la chute des pas, si faible soit-elle. *(Un temps. M. repart. Six longueurs. Avec la deuxième longueur.)* Si elle dort encore, peut-on se demander. *(Avec la troisième longueur.)* Oui, certaines nuits, un petit somme, appuie sa pauvre tête au mur et fait un petit somme. *(Avec la quatrième longueur.)* Parle encore ? Oui, certaines nuits, quand elle croit que nul n'entend. *(Avec la cinquième longueur.)* Dit comment c'était, tâche de dire comment c'était. Tout ça. *(Début de la sixième longueur.)* Tout ça.

L'éclairage s'éteint lentement, sauf R. M. s'immobilise à D dans le noir.
Un temps long.
Cloche encore un peu plus faible. Echo.
L'éclairage revient encore un peu plus faible.
M. immobile de face à D. Un temps.

M. — Epilogue. *(Un temps. Elle part. Pas un peu plus lents. Deux longueurs. S'immobilise de face à D. Un temps.)* Epilogue. Un peu plus tard, lorsqu'elle était tout à fait oubliée, elle se mit à —. *(Un temps.)* Un peu plus tard, lorsque c'était comme si elle n'avait jamais été, ça jamais été, elle se mit à rôder. *(Un temps.)* La nuit venue. *(Un temps.)* Se glissait dehors, la nuit venue, et dans la petite église, par la porte nord, toujours verrouillée à cette heure, et rôdait, allant et venant, allant et venant, le long du pauvre bras sauveur. *(Un temps.)* Certaines nuits elle se figeait, comme quelqu'un glacé par un frisson de l'esprit, et restait privée de mouvement jusqu'à ce qu'il revienne. Mais nombreuses aussi étaient les nuits où elle allait sans trêve, allait et venait, allait et venait, avant de disparaître comme elle était venue. *(Un temps.)* Aucun son. *(Un temps.)* D'audible tout au moins.

(Un temps.) Le semblant. *(Un temps. Elle repart. Deux longueurs. S'immobilise de face à D.)* Le semblant. Blême, quoique nullement invisible, sous un certain éclairage. *(Un temps.)* Donné le bon éclairage. *(Un temps.)* Gris plutôt que blanc, gris blanc. *(Un temps.)* Des haillons. *(Un temps.)* Un fouillis de haillons. *(Un temps.)* Un blême fouillis de haillons gris blanc. *(Un temps.)* Voyez-le passer —. *(Un temps.)* Voyez-la passer devant le candélabre, comme ses flammes, leur clarté, telle la lune que voile une vapeur. *(Un temps.)* La voilà donc, à peine en allée, en train de rôder, allant et venant, allant et venant, le long de ce pauvre bras. *(Un temps.)* La nuit venue. *(Un temps.)* C'est-à-dire, en certaines saisons de l'année, à l'heure des vêpres. *(Un temps.)* Fatalement. *(Un temps. Elle repart. Une longueur. S'immobilise de face à G. Un temps.)* La vieille madame Winter, dont le lecteur se souviendra, la vieille madame Winter, un dimanche soir de l'automne finissant, s'étant mise à table avec sa fille en revenant de l'office, après quelques becquées sans entrain posa couteau et fourchette et baissa la tête. Qu'y a-t-il, mère, dit

la fille, une petite jeune très étrange, à vrai dire plus toute jeune... *(voix brisée)*... effroyablement malheu —... *(Un temps. Voix normale.)* Qu'y a-t-il, mère, ne te sens-tu plus toi-même ? *(Un temps.)* Madame W. ne répondit pas aussitôt. Mais finalement elle leva la tête, fixa Amy — nom de baptême de l'enfant, comme le lecteur s'en souviendra — leva la tête, fixa Amy au fond de la prunelle et dit — *(un temps)* — et murmura, fixa Amy au fond de la prunelle et murmura, Amy. *(Un temps. Pas plus fort.)* Amy. *(Un temps.)* Amy : Oui, mère. Madame W. : Amy, as-tu remarqué quelque chose... d'étrange aux vêpres ? Amy : Non, mère, rien. Madame W. : Peut-être l'ai-je seulement imaginé. Amy : Qu'était-ce au juste, mère, que tu as peut-être seulement imaginé ? *(Un temps.)* Qu'était-ce au juste, mère, ce quelque chose... d'étrange que tu as peut-être seulement imaginé remarquer ? *(Un temps.)* Madame W. : Toi-même tu n'as rien remarqué... d'étrange ? Amy : Non, mère, moi-même rien, pour en dire le moins. Madame W. : Que veux-tu dire, Amy, pour en dire le moins, voyons, que peux-tu bien vouloir dire, Amy, pour en dire le moins ? Amy : Je veux dire, mère, qu'en disant n'avoir rien remarqué... d'étrange j'en dis véritablement le moins. Car je n'ai rien remarqué d'aucune sorte, ni d'étrange ni autrement. Je n'ai rien vu, rien entendu, d'aucune sorte. Je n'étais pas là. Madame W. : Pas là ? Amy : Pas là. Madame W. : Mais je t'ai entendue répondre. *(Un temps.)* Je t'ai entendue dire : Amen. *(Un temps.)* Comment aurais-tu pu répondre si tu n'étais pas là ? *(Un temps.)* Comment aurais-tu pu dire : Amen si, comme tu le prétends, tu n'étais pas là ? *(Un temps. Psalmodié.)* L'amour de Dieu, et la communion du Saint-Esprit, soient avec nous, maintenant, et à jamais. Amen. *(Un temps. Voix normale.)* Je t'ai entendue, distinctement. *(Un temps. Elle repart. Une longueur. Après cinq pas, s'immobilise de profil. Un temps long. Elle repart. S'immobilise de face à D. Un temps long.)* Amy. *(Un temps. Pas plus fort.)* Amy. *(Un temps.)* Oui, mère. *(Un temps.)* N'auras-tu jamais fini ? *(Un temps.)* N'auras-tu jamais fini de ressasser tout ça ? *(Un temps.)* Ça ? *(Un temps.)* Tout ça. *(Un temps.)* Dans ta pauvre tête. *(Un temps.)* Tout ça. *(Un temps.)* Tout ça.

Un temps. L'éclairage s'éteint lentement, sauf R.
Noir.
Un temps long.
Cloche encore un peu plus faible. Echo. L'éclairage revient encore un peu plus faible. Nulle trace de May. 10 secondes. L'éclairage s'éteint lentement, y compris R. Noir.

Rideau.

fragment de théâtre I

Coin de rue. Décombres.

A, aveugle, assis sur un pliant, gratte du violon. A côté de lui l'étui, entrouvert, debout, surmonté d'une sébile.

A s'arrête de gratter, tourne la tête vers la coulisse droite, écoute.

Un temps.

A. — A votre bon cœur, votre bon cœur.

Un temps. A se remet à gratter. Il s'arrête de nouveau, tourne la tête vers la coulisse droite, écoute.

Entre B dans un fauteuil roulant qu'il fait avancer au moyen d'une perche.

A *(agacé).* — A votre bon cœur !

Un temps.

B. — Musique ! *(Un temps.)* Ce n'est donc pas un rêve. Enfin ! Une vision non plus, elles sont muettes, et moi je suis muet, devant elles. *(Il avance, s'arrête, regarde dans la sébile. Sans émotion.)* Pauvre. *(Il passe la main devant les yeux de A. De même.)* Pauvre. *(Un temps.)* Maintenant je peux rentrer, il n'y a plus de mystère. *(Il recule, s'arrête.)* A moins de nous mettre ensemble, et de vivre ensemble, jusqu'à ce que mort s'ensuive. *(Un temps.)* Qu'est-ce que vous diriez de ça, Billy, je peux vous appeler Billy, comme mon fils ? *(Un temps.)* Aimez-vous la compagnie, Billy ? *(Un temps.)* Aimez-vous les conserves, Billy ?

A. — Quelles conserves ?

B. — Du corned-beef, Billy, uniquement. De quoi tenir jusqu'à l'été, en faisant attention. *(Un temps.)* Non ? *(Un temps.)* Quelques pommes de terre aussi, deux kilos, trois kilos. *(Un temps.)* Aimez-vous les pommes de terre, Billy ? *(Un temps.)* On n'aurait qu'à les laisser germer et puis, au moment propice, les mettre en terre, ce serait à tenter. *(Un temps.)* Non ? *(Un temps.)* Moi je choisirais l'endroit et vous, vous les mettriez dans la terre. *(Un temps.)* Non ?

Un temps.

A. — Que font les arbres ?

B. — Difficile à dire. C'est l'hiver, vous savez.

Un temps.

A. — Fait-il jour ou nuit ?

B. — Oh... *(il regarde le ciel)...* jour, si l'on veut. Pas de soleil bien sûr, sinon vous n'auriez pas demandé. *(Un temps.)* Vous suivez mon raisonnement ? *(Un temps.)* Etes-vous vif, Billy, êtes-vous resté un peu vif ?

A. — Mais de la clarté ?

B. — Oui. *(Il regarde le ciel.)* Oui, de la clarté, il n'y a pas d'autre mot. *(Un temps.)* Dois-je vous la décrire ? *(Un temps.)* Dois-je essayer de vous en donner une idée, de cette clarté ?

A. — Il me semble quelquefois que je passe la nuit ici, à jouer, et à écouter. Autrefois je sentais descendre le soir et je m'apprêtais. Je rangeais mon violon et ma sébile et je n'avais plus qu'à me lever, quand elle me prenait par la main.

Un temps.

B. — Elle ?

A. — Ma femme. *(Un temps.)* Une femme. *(Un temps.)* Mais maintenant...

Un temps.

B. — Maintenant ?

A. — Quand je pars je ne sais pas, et

quand j'arrive je ne sais pas, et pendant que je suis là je ne sais pas, s'il fait jour ou s'il fait nuit.

B. — Vous n'avez pas toujours été ainsi. Qu'est-ce qui vous est arrivé ? Les femmes ? Le jeu ? Dieu ?

A. — J'ai toujours été ainsi.

B. — Allons !

A *(violemment).* — J'ai toujours été ainsi ? Accroupi dans le noir, grattant une vieille rengaine aux quatre vents !

B *(violemment).* — Nous avons eu nos femmes, non ? Vous la vôtre pour vous conduire par la main et moi la mienne pour me sortir du fauteuil le soir et pour m'y remettre le matin et pour me pousser jusqu'au coin de la rue quand je devenais fou. Non ?

A. — Estropié ? *(Un temps. Sans émotion.)* Pauvre.

B. — Un seul problème : le demi-tour. Souvent il m'a semblé, pendant que je me débattais, que j'aurais plus vite fait d'aller de l'avant, en faisant le tour du monde. Jusqu'au jour où j'ai compris que je pouvais rentrer à reculons. *(Un temps.)* Par exemple, je suis à A. *(Il avance un peu, s'arrête.)* J'avance jusqu'à B. *(Il recule un peu.)* Et je reviens à A. *(Avec élan.)* La ligne droite ! L'espace vide ! *(Un temps.)* Je commence à vous émouvoir ?

A. — Quelquefois j'entends des pas. Des voix. Je me dis, Ils reviennent, quelques-uns reviennent, essayer de se réinstaller, ou chercher quelque chose qu'ils avaient oublié, ou chercher quelqu'un qu'ils avaient abandonné.

B. — Revenir ! Qui voudrait revenir ici ? *(Un temps.)* Et vous n'avez pas appelé ? *(Un temps.)* Crié ? *(Un temps.)* Non ?

A. — Vous n'avez rien remarqué ?

B. — Oh moi, vous savez, remarquer... Je suis là, dans mon abri, assis, dans le noir, vingt-trois heures sur vingt-quatre. *(Violemment.)* Que voulez-vous que je remarque ? *(Un temps.)* Vous croyez qu'on ferait bon ménage, maintenant que vous commencez à me connaître ?

A. — Du corned-beef, dites-vous ?

B. — Au fait, de quoi vivez-vous, depuis le temps ? Vous devez être affamé.

A. — Il y a des choses qui traînent.

B. — Comestibles ?

A. — Quelquefois.

B. — Pourquoi ne pas vous laisser crever ?

A. — Dans l'ensemble j'ai de la chance. L'autre jour j'ai trébuché sur un sac de noix.

B. — Non !

A. — Un petit sac, rempli de noix, au milieu du chemin.

B. — Oui, d'accord, mais pourquoi ne pas vous laisser crever ?

A. — J'y ai songé.

B *(agacé)*. — Mais vous ne le faites pas !

A. — Je ne suis pas assez malheureux. *(Un temps.)* Ça a toujours été mon malheur, malheureux, mais pas assez.

B. — Mais vous devez l'être chaque jour un peu plus.

A *(violemment)*. — Je ne le suis pas assez !

Un temps.

B. — Pour moi, nous sommes faits pour nous entendre.

A *(Geste circulaire)*. — A quoi est-ce que tout ça ressemble à présent ?

B. — Oh moi, vous savez... Je ne vais jamais loin, juste un petit va-et-vient devant ma porte. C'est bien la première fois que je pousse jusqu'ici.

A. — Mais vous regardez autour de vous ?

B. — Non non.

A. — Après toutes ces heures d'obscurité vous ne —

B *(violemment)*. — Non ! *(Un temps.)* Evidemment, si vous voulez que je regarde autour de moi je le ferai. Et si vous voulez me promener j'essaierai de vous décrire la scène, au fur et à mesure.

A. — Vous voulez dire que vous me guideriez ? Je ne me perdrais plus ?

B. — Parfaitement. Je vous dirais, Doucement Billy, nous allons vers un grand tas d'ordures, faites demi-tour et prenez à gauche, quand je vous le dirai.

A. — Vous feriez ça !

B *(poussant son avantage)*. — Doucement, Billy, doucement, je vois une boîte ronde là-bas dans le ruisseau, c'est peut-être du potage, ou des flageolets.

A. — Des flageolets !

Un temps.

B. — Vous commencez à m'aimer ? *(Un temps.)* Ou c'est seulement mon imagination ?

A. — Des flageolets ! *(Il se lève, dépose*

violon et archet sur le pliant et va en tâtonnant vers le fauteuil.) Où êtes-vous ?

B. — Ici, mon cher. *(A se saisit du fauteuil et commence à le pousser aveuglément.)* Arrêtez !

A *(poussant le fauteuil).* — C'est facile ! C'est facile !

B. — Arrêtez ! *(Il frappe derrière lui avec la perche. A lâche le fauteuil, recule. Un temps. A essaie en tâtonnant de regagner son pliant. Il s'immobilise, perdu.)* Pardonnez-moi ! *(Un temps.)* Pardonnez-moi, Billy !

A. — Où suis-je ? *(Un temps.)* Où étais-je ?

B. — Voilà que je l'ai perdu. Il commençait à m'aimer et je l'ai frappé. Il va me quitter, je ne le reverrai plus. Je ne reverrai plus personne. Nous n'entendrons jamais plus la voix humaine.

A. — Vous ne l'avez pas assez entendue ? Toujours les mêmes gémissements, du berceau jusqu'au tombeau.

B *(geignard).* — Faites quelque chose pour moi, avant de partir !

A. — Voilà ! Vous l'entendez ? *(Un*

temps. Geignard.) Je ne peux pas partir ! *(Un temps.)* Vous l'entendez ?

B. — Vous ne pouvez pas partir ?

A. — Je ne peux pas partir sans mes affaires.

B. — A quoi est-ce qu'elles vous servent ?

A. — A rien.

B. — Et vous ne pouvez pas partir sans elles ?

A. — Non. *(Il recommence à tâtonner, s'immobilise.)* Je finirai bien par les trouver. *(Un temps.)* Ou par m'en éloigner tout à fait.

Il recommence à tâtonner.

B. — Arrangez mon plaid, j'ai le pied à l'air. *(A s'immobilise.)* Je le ferais bien moi-même, mais ce serait trop long. *(Un temps.)* Faites-le, Billy. *(Un temps.)* Puis je pourrai rentrer chez moi, m'installer dans mon vieux coin et me dire, J'ai vu l'homme pour la dernière fois, je l'ai frappé et il m'a secouru. *(Un temps.)* Trouver quelques lambeaux d'amour dans mon cœur et mourir réconcilié, avec mon espèce. *(Un temps.)* Qu'est-ce que vous avez à me regarder comme ça ? *(Un temps.)* J'ai dit quelque chose que je n'aurais pas dû ? *(Un temps.)* A quoi est-ce qu'elle ressemble, mon âme ?

A va vers lui en tâtonnant.

A. — Faites un bruit.

B en fait un. A tâtonne, s'immobilise.

B. — Vous n'avez pas d'odorat non plus ?

A. — C'est la même odeur partout. *(Il tend la main.)* Suis-je à portée de votre main ?

Il reste immobile, la main tendue.

B. — Attendez, vous n'allez pas me rendre service pour rien ? *(Un temps.)* Je veux dire sans conditions ? *(Un temps.)* Mon Dieu !

Un temps. Il prend la main de A et l'attire vers lui.

A. — Votre pied ?

B. — Comment.

A. — Vous avez dit votre pied ?

B. — Si j'avais su ! *(Un temps.)* Oui, mon pied, bordez-le. *(A se penche en tâtonnant.)* A genoux, à genoux, vous serez mieux. *(Il l'aide à s'agenouiller au bon endroit.)* Là.

A *(agacé)*. — Mais lâchez-moi donc ! Vous voulez que je vous aide et vous me tenez la main ! *(B le lâche. A trifouille dans le plaid.)* Vous n'avez qu'une seule jambe ?

B. — C'est tout.

A. — Et l'autre ?

B. — Elle pourrissait, on l'a enlevée.

A borde le pied.

A. — Ça va comme ça.

B se penche pour voir.

B. — Un peu plus serré. *(A serre davantage.)* Quelles mains vous avez !

Un temps.

A *(tâtonnant vers la poitrine de B).* — Tout le reste est là ?

B. — Vous pouvez vous lever maintenant et me demander une faveur.

A. — Tout le reste est là ?

B. — Le reste ? On ne m'a rien enlevé d'autre, si c'est ça que vous voulez dire.

La main de A, tâtonnant plus haut, arrive au visage, s'immobilise.

A. — C'est ça votre visage ?

B. — Hé oui. *(Un temps.)* Que voulez-vous que ça soit ? *(Les doigts de A errent, s'immobilisent.)* Ça ? Ma loupe.

A. — Rouge ?

B. — Violette. *(A retire sa main, reste à genoux.)* Quelles mains vous avez !

Un temps.

A. — Il fait jour toujours ?

B. — Jour ? *(Il regarde le ciel.)* Si l'on veut. *(Il regarde.)* Il n'y a pas d'autre mot.

A. — Ce n'est pas bientôt le soir ?

B se penche sur A, le secoue.

B. — Allez, Billy, levez-vous, vous commencez à me gêner.

A. — Ce n'est pas bientôt la nuit ?

B regarde le ciel.

B. — Jour... nuit... *(Il regarde.)* Il me semble quelquefois que la terre a dû caler, un jour sans soleil, au cœur de l'hiver, dans la grisaille du soir. *(Il se penche sur A, le secoue.)* Allez, Billy, debout, vous commencez à m'embarrasser.

A. — Il y a de l'herbe quelque part ?

B. — Je n'en vois pas.

A *(véhément)*. — Il n'y a de vert nulle part ?

B. — Il y a un peu de mousse. *(Un temps. A croise les mains sur le plaid et y pose la tête.)* Bon Dieu ! Vous n'allez pas prier tout de même !

A. — Non.

B. — Ni pleurer !

A. — Non. *(Un temps.)* Je pourrais rester comme ça pour toujours, la tête sur les genoux d'un vieillard.

B. — *Le* genou. *(Le secouant brutalement.)* Mais levez-vous donc !

A *(s'installant mieux)*. — Quelle paix ! *(B le repousse brutalement. A tombe à quatre pattes. Un temps.)* Dora me disait, les jours où je n'avais pas gagné assez, Toi et ta harpe ! Tu ferais mieux de te promener à quatre pattes, les médailles de ton père épinglées aux fesses et une tirelire pendue au cou. Toi et ta harpe ! Pour qui te prends-tu ? Et elle m'obligeait à dormir par terre. *(Un temps.)* Pour qui je me prenais... *(Un temps.)* Ah ça, je n'ai jamais pu... *(Un temps. Il se lève.)* Jamais pu... *(Il commence à tâtonner. Il s'immobilise, écoute. Un temps.)* Si j'écoutais assez longtemps je l'entendrais, une corde se relâcherait.

B. — Ta harpe ? *(Un temps.)* Quelle est cette histoire de harpe ?

A. — J'avais autrefois une petite harpe. Taisez-vous et laissez-moi écouter.

Un temps.

B. — Vous allez rester longtemps comme ça ?

A. — Je reste pendant des heures, à écouter tous les bruits.

Ils écoutent.

B. — Quels bruits ?

A. — Je ne sais plus ce que c'est.

Ils écoutent.

B. — Moi je le vois. *(Un temps.)* Je le —

A *(implorant).* — Vous ne voulez pas vous taire ?

B. — Non ! *(A se prend la tête dans les mains.)* Je le vois bien, là-bas, sur le pliant. *(Un temps.)* Si je le prenais, Billy, et me sauvais avec ? *(Un temps.)* Hein, Billy, qu'est-ce que vous diriez de ça ? *(Un temps.)* Il y aurait peut-être un autre vieux, un jour, pour sortir de son trou et venir vous trouver en train de jouer de l'harmonica. Et vous lui parleriez du petit violon que vous aviez autrefois. *(Un temps.)* Hein, Billy ? *(Un temps.)* Ou en train de chanter. *(Un temps.)* Hein, Billy, qu'est-ce que vous diriez de ça ? *(Un temps.)* Etre là en train de croasser au vent d'hiver, ayant perdu son petit harmonica. *(Il le pique dans le dos avec la perche.)* Hein, Billy ?

A se retourne vivement, saisit le bout de la perche et l'arrache des mains de B.

(années 60 ?)

fragment de théâtre II

Au fond, au milieu, une haute fenêtre à double battant ouverte sur un ciel nocturne très clair. On ne voit pas la lune.

A l'avant-scène, à gauche, à égale distance du mur et de l'axe de la fenêtre, une petite table. Sur la table, une lampe de travail éteinte et une serviette bourrée de documents.

A droite, faisant symétrie, une table identique, avec lampe de travail éteinte, sans plus.

Porte à l'avant-scène, à gauche.

Debout devant la moitié gauche de la fenêtre, dos à la scène, C.

Un temps long.

Entre A. Il s'installe à la table à droite, dos au mur. Un temps. Il allume sa lampe. Il sort sa montre, regarde l'heure et la pose sur la table. Un temps. Il éteint.

Un temps long.

Entre B. Il s'installe à la table à gauche, dos au mur. Un temps. Il allume sa lampe, ouvre la serviette et en vide le contenu sur la table. Il lève la tête, voit A.

B. — Tiens !

A. — Sshhh ! Eteins. *(B éteint. Temps long. Bas.)* Quelle nuit ! *(Temps long. A lui-même.)* Je n'ai pas encore compris. *(Un temps.)* Pourquoi il a besoin de nos services. *(Un temps.)* Un homme comme lui. *(Un temps.)* Et pourquoi nous les donnons pour rien. *(Un temps.)* Des hommes comme nous. *(Un temps.)* Mystère. *(Un temps.)* Enfin... *(Un temps. Il rallume sa lampe.)* On s'y met ? *(B rallume sa lampe, farfouille dans ses papiers.)* L'essentiel. *(B farfouille.)* On résume et on s'en va. *(B farfouille.)* Prêt ?

B. — Fin.

A. — On t'écoute.

B. — Qu'il saute.

A. — Quand ?

B. — Tout de suite.

A. — D'où ?

B. — D'ici ça ira. Trois mètres trois mètres et demi par étage, ça en fait bien vingt-cinq.

Un temps.

A. — Et moi qui ne nous croyais qu'au sixième. *(Un temps.)* Il ne risque rien ?

B. — Il n'a qu'à tomber sur le cul, comme

il a vécu. La colonne pète et les tripes explosent.

Un temps. A se lève, va à la fenêtre, se penche dehors, regarde en bas. Un temps. Il se redresse, regarde le ciel. Un temps. Il regagne sa place.

A. — Pleine lune.

B. — Pas tout à fait. Demain.

A sort un petit agenda de sa poche.

A. — Nous sommes le combien ?

B. — Vingt-quatre. Demain c'est le vingt-cinq.

A *(tournant les pages).* — Dix-neuf... vingt-deux... vingt-quatre... *(Lisant.)* Notre-Dame l'Auxiliatrice. Pleine lune. *(Il remet l'agenda dans sa poche.)* Nous disions donc... voyons... qu'il saute. C'est bien ça, notre conclusion.

B. — Travail, famille, troisième patrie, histoires de fesses, finances, art et nature, for intérieur, santé, logement, Dieu et les hommes, autant de désastres.

Un temps.

A *(pensif).* — Est-ce une raison ? *(Un temps.)* Est-ce une raison ? *(Un temps.)* Et le sens de l'humour ? Du relatif ?

B. — Débordé.

Un temps.

A. — On ne peut pas se tromper ?

B *(indigné).* — Nous nous sommes adressés aux meilleures sources. Nous avons tout pesé, repesé, contrôlé, vérifié. Pas un mot là-dedans *(brandissant un paquet de papiers)* qui ne soit dur comme fer. Ça se tient comme une cathédrale. *(Il abat violemment les papiers sur la table. Ils s'éparpillent par terre.)* Merde !

Il les ramasse. A soulève sa lampe et la promène autour de lui, puis la remet à sa place.

A. — Comme logement il y a pire. *(Se tournant vers la fenêtre.)* La vue est même belle. *(Un temps.)* C'est Jupiter qu'on voit ?

Un temps.

B. — Où ça ?

A. — Eteins. *(Ils éteignent.)* C'est sûrement lui.

B *(agacé).* — Où ?

A *(agacé).* — Là *(B se penche, en avant, en arrière.)* Là, à droite, dans le coin.

Un temps.

B. — Mais non, ça tremble.

A. — Alors c'est quoi ?

B *(indifférent)*. — Sais pas. Sirius. *(Il rallume.)* Eh bien ? On travaille ou on s'amuse ? *(A rallume.)* Tu oublies qu'il n'est pas chez lui. Il s'occupe du chat. A la fin du mois, ouste, à la péniche. *(Un temps. Plus fort.)* Tu oublies qu'il n'est pas chez lui.

A *(agacé)*. — J'oublie, j'oublie ! Et lui, il n'oublie pas ? *(Avec passion.)* Mais c'est ça qui nous sauve !

B *(cherchant dans ses papiers)*. — Mémoire... mémoire... *(Il prend une feuille.)* Je cite : « D'éléphant pour les coups durs, de moineau pour le chant du monde. » Témoignage de Monsieur Dupré, organiste dans l'Aisne et ami de toujours.

Un temps.

A *(tristement)*. — Tsstss !

B. — Je cite : « Interrogé à cette occasion » — entre parenthèses — « (séparation de corps) sur l'altération de nos relations, il n'a su évoquer que les cinq ou six fausses couches qui ont troublé » — entre parenthèses — « (oh bien malgré moi !) les premiers temps de notre ménage et le refus que par conséquent j'ai dû finalement opposer » — entre parenthèses — « (oh bien à contre-cœur !) à tout ce qui de près ou de loin ressemblait à l'œuvre de chair. Mais sur notre bonheur » — entre parenthèses — « (car nous en eûmes, forcément, je pense aux premiers serments échangés à Cahors sous les faux acacias, ou encore au premier quart d'heure de notre nuit de noces à Bandol, ou enfin aux premières veillées sous la lampe dans notre bonbonnière, boulevard de l'Hôpital) pas un mot, monsieur, pas un mot. » Témoignage de Madame Loïse Bonheur-Legris, boutonnière à domicile, boulevard de l'Hôpital.

A *(tristement).* — Tsstss !

B. — Je cite encore : « De notre épopée nationale il ne retenait que les catastrophes, ce qui ne l'a pas empêché de décrocher un premier accessit au concours général. » Témoignage de Monsieur Gravural, maraîcher dans la Creuse et ami de toujours. *(Un temps.)* « Pas une larme de versée dans notre famille, et Dieu sait s'il y en a eu, qui ne fût recueillie et pieusement conservée dans cet inépuisable réservoir de tristesse, avec la date, l'heure et le motif, et pas une joie, heureusement qu'il n'y en a guère eu, qui n'y fût par un phénomène inverse irrévocablement dissoute comme sous l'effet d'un corrosif. Il tenait ça de moi. » Témoignage de feue Madame Nomore-Legris, femme de lettres. *(Un temps.)* Tu en veux encore ?

A. — Assez.

B. — Je cite : « A l'entendre parler de sa vie, après quelques verres, on aurait pu croire qu'il l'avait passée uniquement aux enfers. Nous nous tordions de rire. J'en ai tiré un numéro qui a bien marché. » Témoignage de Monsieur Berdun, artiste dramatique, aux bons soins de Madame Veuve Gaude-Berdun, à Nègrepelisse, Tarn-et-Garonne, et ami de toujours.

Un temps.

A *(désolé).* — Tsstss ! *(Un temps.)* Tsstsstss !

B. — Tu vois. *(Emphatique.)* Il n'est pas chez lui et il le sait très bien.

Un temps.

A. — Voyons maintenant les éléments positifs.

B. — Positifs ? Tu veux dire de nature à

lui faire croire que... *(il hésite, puis, avec une soudaine violence)*... qu'un jour ça peut changer ? Hein ? C'est ça que tu veux ? *(Un temps. Plus calme.)* Il n'y en a pas.

A *(désabusé).* — Si, si, il y en a, c'est ça le plus beau.

Un temps. B farfouille dans ses papiers.

B *(levant la tête).* — Excuse-moi, Bertrand. *(Un temps. Il farfouille. Il lève la tête.)* Je ne sais pas ce qui m'a pris. *(Un temps. Il farfouille. Il lève la tête.)* Un moment de désarroi. *(Un temps. Il farfouille.)* Il y a cette histoire de tombola... peut-être. Tu te rappelles ?

A. — Non.

B *(lisant).* — « Deux cents lots... gagnant reçoit une montre de grande classe... or massif, poinçon 19 carats, merveille de précision, marque la date, l'heure, la minute et la seconde, extra-chic, ressort incassable, mouvement chrono, ancre 19 rubis, antichoc, antimagnétique, étanche, waterproof, stainless, le modèle qui ne se remonte plus, trotteuse centrale, pièces suisses, bracelet reptile grand luxe. »

A. — Tu vois ! Même sans grand espoir.

Rien que le fait de courir sa chance. Allons, il a encore du ressort !

B. — Malheureusement ce n'est pas lui qui s'est procuré le billet. On le lui a donné. Tu oublies.

A *(agacé)*. — J'oublie, j'oublie ! Et lui il n'ou — *(Un temps.)* Enfin il l'a gardé ?

B. — Savoir !

A. — Enfin, il l'a accepté ? *(Un temps.)* Enfin, il ne l'a pas refusé ?

B. — Je cite : « La dernière fois que je l'ai vu j'allais toucher un rappel aux Chèques postaux. Il était assis sur une des bornes qui, reliées entre elles par des chaînes, interdisent aux véhicules l'accès du passage des P. T. T., le dos tourné aux Usines Thompson. On ne lui aurait pas donné deux sous. Il était plié en deux, les mains sur les genoux, les jambes écartées, la tête basse, si bien que je me suis demandé s'il n'était pas en train de vomir. Mais m'étant approché de plus près, j'ai pu constater qu'il était tout simplement occupé à contempler, entre ses pieds, une crotte de chien. Ayant légèrement déplacé celle-ci de la pointe de mon parapluie, j'ai vu son regard qui suivait le mouvement et se braquait sur l'objet à sa nouvelle place. Ceci à trois heures de l'après-midi, s'il vous plaît ! J'avoue que je n'ai pas eu le courage de lui dire bonjour, j'étais bouleversé. J'ai simplement glissé dans sa poche révolver un billet de tombola auquel je ne tenais pas, tout en lui souhaitant intérieurement bonne chance. Lorsque deux heures plus tard je suis sorti du bureau, ayant encaissé mon rappel, il était toujours à la même place et dans la même posture. Je me demande quelquefois s'il vit encore. » Témoignage de Monsieur Feckmann, expert en écritures et ami des bons et des mauvais jours.

Un temps.

A. — C'est daté quand ?

B. — C'est récent.

A. — On dirait un vieux, vieux souvenir. *(Un temps.)* Rien d'autre ?

B *(papiers).* — Oh... des petits trucs... vieille tante à espérances... partie d'échecs inachevée avec correspondant à Melbourne... espoir pas mort de vivre l'extermination de l'espèce... aspirations littéraires imparfaitement jugulées... fesses d'une crémière rue Cambronne... tu vois le genre.

Un temps.

A. — Nous terminons ce soir, n'est-ce pas.

B. — Je te crois. Demain nous sommes à Bar-le-Duc.

A *(morne).* — Nous ne lui aurons rien appris. Nous le quitterons tout à l'heure, pour la dernière fois, sans avoir rien ajouté à ce qu'il savait déjà.

B. — Tous ces témoignages, il les ignorait. Ça a dû l'achever.

A. — Peut-être que non. *(Un temps.)* Tu n'as rien là-dessus. *(Papiers.)* C'est important ça. *(Papiers.)* Quelque chose qu'il aurait dit lui-même... il me semble...

B *(papiers).* — Sous « Confidences » alors... *(Riant.)* Chapitre peu chargé. *(Papiers.)* Confidences... confidences... Ah !

A *(impatient).* — Alors ?

B *(lisant).* — « Migraines... troubles visuels... peur irraisonnée des vipères »... ce n'est pas ça... « tumeurs fibreuses... phobie des oiseaux chanteurs... troubles auditifs... besoin de tendresse »... on arrive... « silence intérieur... timidité naturelle... » Ah ! Ecoute-moi ça : « Morbidement sensible à l'opinion d'autrui... » *(Il lève la tête.)* Tu vois !

A *(tristement).* — Tsstss.

B. — Je vais te lire tout le passage. *(Lisant.)* « Morbidement sensible à l'opinion d'autrui — » *(Sa lampe s'éteint.)* Tiens ! L'ampoule est morte ! *(La lampe se rallume.)* Eh bien non. Ça doit être un mauvais contact. *(Il examine la lampe, déplace le fil.)* Le fil était tordu, maintenant ça va aller. *(Lisant.)* « Morbidement sensible — » *(La lampe s'éteint.)* Putain de merde.

A. — Essaie de l'agiter un peu. *(B agite la lampe. Elle se rallume.)* Tu vois ! C'est un truc que j'ai appris chez les éclaireurs.

Un temps.

B, A *(ensemble).* — « Morbidement sensible — ».

A. — Touche pas à la table.

B. — Quoi ?

A. — Ne touche plus à la table. Si c'est le contact, le moindre choc suffit.

B. — Tu es bon ! Et mes papiers ?

A. — Enfin, vas-y doucement.

B *(ayant reculé un peu sa chaise).* — « Morbidement sensible — » *La lampe s'éteint. B assène un grand coup de poing sur la table. La lampe se rallume. Un temps.*

A. — C'est mystérieux, l'électricité.

B *(débit précipité)*. — « Morbidement sensible à l'opinion d'autrui au moment même, je veux dire chaque fois et pendant tout le temps que j'en prenais connaissance — » *(S'interrompant.)* Drôle de chinois.

A *(nerveusement)*. — T'arrête pas ! T'arrête pas !

B. — « ... tout le temps que j'en prenais connaissance, et ceci dans les deux cas, je veux dire qu'elle me fût agréable à entendre ou qu'au contraire elle me fît de la peine, et à vrai dire — » *(S'interrompant.)* Merde ! Où est le verbe ?

A. — Quel verbe ?

B. — Le principal !

A. — Moi je n'y suis plus du tout.

B. — Je m'en vais chercher le verbe et laisser tomber toutes ces conneries au milieu. *(Il cherche.)* « Fusse... pusse »... tu te rends compte !... « tinnse... ignorasse »... nom de Dieu !... ah... « j'étais malheureusement »... voilà, j'ai trouvé ! *(Triomphant.)* « J'étais malheureusement incapable... » Ça y est !

A. — Qu'est-ce que ça donne à présent ?

B *(solennellement)*. — « Morbidement sensible à l'opinion d'autrui au moment même »... conneries conneries conneries... « j'étais malheureusement incapable — »

La lampe s'éteint. Temps long.

A. — Veux-tu que nous changions de place ? *(Un temps.)* Tu vois ce que je veux dire ? *(Un temps.)* Que toi avec tes papiers tu viennes ici et que moi j'aille là-bas. *(Un temps.)* Ne chiale pas, Morvan, ça n'avance à rien.

B. — C'est les nerfs ! *(Un temps.)* Ah si j'avais seulement vingt ans de moins, je me foutrais en l'air !

A. — Ssshhh ! Jamais dire des bêtises pareilles. Même aux amis.

Un temps.

B. — Je peux venir vers toi ? *(Un temps.)* J'ai besoin de chaleur humaine.

Un temps.

A *(froidement).* — A ta guise. *(B se relève et va vers A.)* Avec tes dossiers au moins. *(B retourne prendre ses papiers et sa serviette, revient vers A, pose les papiers et la serviette sur la table, reste debout. Un temps.)* Tu veux que je te prenne sur mes genoux ?

Un temps. B retourne prendre sa chaise,

revient vers A, s'arrête devant la table, la chaise dans les bras. Un temps.

B *(timidement).* — Je me mets à côté de toi ? *(Ils se regardent.)* Non ? *(Un temps. Tristement.)* Alors, en face. *(Il s'assied en face de A, le regarde. Un temps.)* On continue ?

A *(avec force).* — Finissons-en et allons dormir.

B farfouille dans ses papiers.

B. — Je prends la lampe. *(Il la tire vers lui.)* Pourvu qu'elle tienne. Qu'est-ce qu'on ferait dans le noir tous les deux ? *(Un temps.)* Tu as des allumettes ?

A. — Toujours ! *(Un temps.)* Ce qu'on ferait ? On irait sous la fenêtre dans la lumière des étoiles. *(L'autre lampe se rallume.)* Plutôt, toi tu irais tout seul.

B *(vivement).* — Oh non, seul je n'irais pas.

A. — Passe-moi une feuille. *(B lui passe une feuille.)* Eteins la lampe. *(B éteint.)* Oh là là, la tienne s'est rallumée. *(B se retourne.)* Va l'éteindre.

B. — Pour moi, ce gag a assez duré.

A. — Justement. Va donc l'éteindre.

B se lève, va à sa table, éteint sa lampe. Un temps.

B. — Qu'est-ce que je dois faire maintenant ? La rallumer ?

A. — Reviens ici.

B. — Alors rallume, je ne vois rien.

A rallume. B retourne s'asseoir devant A. A éteint, se lève. La feuille à la main il va à la fenêtre, s'arrête, regarde le ciel. Un temps.

A. — Et dire que tout ça c'est de la fusion thermonucléaire ! Toute cette féerie ! *(Il se penche sur la feuille et lit, avec quelques hésitations.)* « Dix ans, s'enfuit de la maison familiale pour la première fois, ramené le lendemain, corrigé, pardonné. » *(Un temps.)* « Quinze ans, s'enfuit de la maison familiale pour la seconde fois, ramené au bout de huit jours, étrillé, pardonné. » *(Un temps.)* « Dix-sept ans, s'enfuit de la maison familiale pour la troisième fois, revient la queue entre les jambes au bout de six mois, enfermé, pardonné. » *(Un temps.)* « Dix-sept ans, s'enfuit de la maison familiale pour la dernière fois, revient sur les genoux au bout d'un an, chassé, pardonné. »

Un temps. Il va tout près de la fenêtre pour voir le visage de C, ce qui l'oblige à se pencher un peu au dehors, le dos au vide.

B. — Attention !

Un temps long. Personne ne bouge.

A *(tristement).* — Tsstss ! *(Il reprend son équilibre.)* Rallume. *(B rallume. A retourne à sa table, se rassied, tend la feuille à B qui la prend.)* Ce n'est pas commode, mais on y arrive.

B. — Comment est-il ?

A. — Il n'est pas beau.

B. — Il a toujours son petit sourire ?

A. — Probablement.

B. — Comment, probablement, tu viens de le regarder.

A. — A ce moment-là il ne l'avait pas.

B *(avec satisfaction).* — Ah ! *(Un temps.)* Jamais compris ce qu'il foutait avec ce sourire. Et les yeux ? Toujours écarquillés ?

A. — Clos.

B. — Clos !

A. — Oh — c'était seulement pour ne pas me voir. Il a dû les rouvrir. *(Un temps. Avec violence.)* Il faudrait fixer les gens vingt-quatre heures sur vingt-quatre ! Pendant une semaine ! Sans qu'ils le sachent !

Un temps.

B. — Pour moi, nous le tenons.

A. — Allons, on piétine, vas-y, vas-y.

B farfouille dans ses papiers, trouve la feuille.

B *(lisant à toute allure).* — « Morbidement sensible à l'opinion d'autrui au moment même » — conneries conneries conneries — « j'étais malheureusement incapable de la retenir au-delà de dix minutes un quart d'heure maximum c'est-à-dire juste le temps qu'il me fallait pour l'assimiler et passé ce délai c'était comme si l'on ne m'avait rien dit. » *(Un temps.)* Ah là là.

A *(avec satisfaction).* — Tu vois ! *(Un temps.)* Où est-ce qu'il a dit çà ?

B. — Dans une lettre apparemment jamais expédiée adressée à une admiratrice anonyme. *(Désolé.)* J'avais oublié !

A. — Une admiratrice ? Il a eu des admiratrices ?

B. — Ça commence, Chère amie et admiratrice, c'est tout ce qu'on sait.

A. — Allez, Morvan, calme-toi, les lettres aux admiratrices, on sait ce que c'est. Faut pas tout prendre au pied de la lettre.

B *(avec violence, tapant sur les papiers).* — Voilà le dossier, dernier état. C'est là-dessus qu'on se base. On ne dit pas maintenant, ça *(tapant à gauche)* c'est bon et ça *(tapant à droite)* c'est mauvais. Tu nous fais chier.

Un temps.

A. — Bon, résumons.

B. — On ne fait que ça.

A. — Un avenir d'encre, un passé — tel qu'il s'en souvient — impardonnable, les motifs de s'attarder dérisoires et les meilleurs conseils inopérants. D'accord.

B. — Une vieille tante à espérances dérisoire ?

A *(avec chaleur)*. — Ce n'est pas un type intéressé. *(Sévèrement.)* Il faut voir le tempérament du client, Morvan. Ça ne suffit pas d'accumuler les documents.

B *(vexé, tapant sur les papiers)*. — Pour moi, le client est là-dedans et nulle part ailleurs.

A. — Et alors ? Est-il question une seule fois de profit personnel ? Cette vieille tante, lui a-t-il jamais fait seulement des civilités ? Et cette crémière, tiens, depuis le temps qu'il lui achète son demi-sel, lui a-t-il jamais manqué de respect ? *(Un temps.)* Non, Morvan, vois-tu.

Bref miaulement de chat. Un temps. Nouveau miaulement, plus fort.

B. — Ça doit être le chat.

A. — C'est probable. *(Un temps long.)* Alors, d'accord ? Avenir d'encre, passé —

B. — Ça va ! *(Il commence à ranger ses papiers dans la serviette. Avec lassitude.)* Qu'il saute.

A. — Plus aucune pièce à produire ?

B. — Qu'il saute, qu'il saute ! *(Il finit de ranger ses papier, se lève, la serviette à la main.)* Tu viens ?

A regarde sa montre.

A. — Il est maintenant... dix heures... vingt-cinq minutes. Nous n'avons pas de train avant onze heures vingt. Tuons le temps ici, en devisant.

B. — Comment onze heures vingt ? Onze heures moins dix.

A sort un horaire de sa poche et le passe, ouvert à la bonne page, à B.

A. — Là où il y a la croix. *(B consulte l'horaire, le rend à A, se rassied. Un temps long. A s'éclaircit la gorge. Un temps. Avec fougue.)* Combien de malheureux le seraient encore aujourd'hui s'ils avaient su à temps à quel point ils l'étaient ! *(Un temps.)* Tu te rappelles Dubois ?

B. — Dubois ? *(Un temps.)* Jamais connu personne de ce nom-là.

A. — Que si ! Un gros rouquin. Il était toujours là à traîner du côté du Gros Caillou. Il ne foutait plus rien. Soi-disant qu'il avait perdu les parties dans un accident de chasse. Son propre engin qui lui aurait pété entre les fesses dans un moment de relâchement, alors qu'il se mettait en posture de tirer une caille.

B. — Je ne vois pas.

A. — Bref il avait déjà la tête dans le four quand on vient lui dire que sa femme est passée sous une ambulance. Merde, qu'il dit, il ne faut pas rater ça, et maintenant il a une situation au Printemps. *(Un temps.)* Comment va Mildred ?

B *(dégoûté)*. — Oh, tu sais — *(Un chant d'oiseau éclate, s'arrête aussitôt. Un temps.)* Bon sang !

A. — Philomèle !

B. — Oh j'ai eu peur !

A. — Ssshhh ! *(Bas.)* Ecoute ! *(Un temps. Le chant éclate de nouveau, plus fort, aussi bref. Un temps.)* Elle est dans la pièce ! *(Il se lève, s'éloigne sur la pointe des pieds.)* Viens, on va voir.

B. — J'ai peur !

Il se lève néanmoins et suit A, en se tenant prudemment derrière lui. A se dirige sur la pointe des pieds vers le fond à droite, suivi de B.

A *(se retournant).* — Ssshhh ! *(Ils avancent, s'arrêtent dans l'angle. A frotte une allumette, la tient au-dessus de sa tête. Un temps. Bas.)* Elle n'est pas là. *(Il jette l'allumette et traverse la scène devant la fenêtre, sur la pointe des pieds et toujours suivi de B. Ils s'arrêtent dans l'angle au fond à gauche. Même jeu avec allumette.)* Elle est là !

B *(reculant).* — Où ?

A s'accroupit. Un temps.

A. — Aide-moi.

B. — Fous-lui la paix ! *(A se redresse avec effort, tenant contre son ventre une grande cage à oiseaux recouverte d'une soie verte frangée de perles. Il se dirige vers sa table en titubant.)* Donne-moi ça.

Il aide A à tenir la cage. A eux deux ils la portent avec précaution vers la table de A.

A *(essoufflé).* — Attends ! *(Ils s'arrêtent.*

Un temps.) Allons-y. *(Ils avancent, déposent la cage doucement sur la table. A écarte délicatement la soie du côté opposé à la salle, regarde.)* Amène la lampe.

B soulève la lampe, la braque sur l'intérieur de la cage. Ils se penchent, regardent. Un temps long.

B. — Y en a un qui est mort.

Ils regardent.

A. — Tu as un crayon ? *(B lui donne un long crayon. A le passe entre les barreaux de la cage. Un temps.)* Oui.

Il retire le crayon, le met dans la poche.

B. — Hé !

A lui rend son crayon. Ils regardent. A prend la main de B, déplace la lampe.

A. — Comme ça.

Ils regardent.

B. — C'est le mari ou la femme ?

A. — La femme. Regarde comme c'est terne.

Ils regardent.

B *(outré)*. — Et lui pendant ce temps il chante ! *(Un temps.)* C'est des bengalis ou quoi ?

A. — Des bengalis ! *(Il pouffe de rire.)*

Ah Morvan, tu me ferais mourir si je vivais assez. Des bengalis ! *(Il pouffe.)* Des pinsons, couillon ! Regarde-moi ce joli petit cul verdâtre ! Et le capuchon bleu ! Et les bandes blanches ! Et la gorge dorée. *(Didactique.)* Du reste le ramage est caractéristique, impossible de s'y tromper. *(Un temps.)* Oh que tu es joli, mon petit coco, que tu es beau ! Pi ! pi ! pi ! pi ! pi *(Un temps. Morne.)* Dire que tout ça c'est des déchets organiques ! Toute cette rutilance !

Ils regardent.

B. — Ils n'ont rien à bouffer. *(Pointant.)* C'est quoi, ça ?

A. — Ça. *(Un temps. Voix blanche, lentement.)* C'est des vieux os de seiche.

B. — De seiche ?

A. — De seiche.

Il rabat la soie. Un temps.

B. — Allez, Bertrand, ne sois pas comme ça, on n'y peut rien. *(A soulève la cage et l'emporte vers le fond à gauche. B dépose la lampe, se précipite.)* Donne-moi ça.

A. — Ça va, ça va ! *(Il avance jusqu'à l'angle, suivi de B, et remet la cage à sa place. Il se redresse et se dirige vers sa table, tou-*

jours suivi de B. A s'arrête.) Ne me piste pas comme ça, Morvan. Tu veux que je me jette par la fenêtre, comme une fortune ? *(Un temps. B va à la table, prend sa serviette et sa chaise, va à sa table à lui et s'assied le dos à la fenêtre. Il rallume sa lampe, l'éteint aussitôt.)* Comment finir ? *(Un temps long. A va à la fenêtre, frotte une allumette, la tient en l'air et regarde le visage de C. L'allumette se consume, il la jette par la fenêtre.)* Hé ! Viens voir ! *(B ne bouge pas. A frotte une autre allumette, la tient en l'air et regarde le visage de C.)* Viens vite ! *(B ne bouge pas. L'allumette se consume, A la laisse tomber.)* Ça, par exemple !

A sort son mouchoir et l'approche timidement du visage de C.

(années 60 ?)

pochade radiophonique

Animateur Dick (muet)
Dactylo Fox

A. — Prête, mademoiselle ?

D. — Fin, monsieur.

A. — Bloc vierge, crayons de secours ?

D. — Tout, monsieur.

A. — En forme ?

D. — Très dispose, monsieur.

A. — Et toi, Dick, d'attaque ? *(Sifflement de nerf de bœuf. Admiratif.)* Fichtre ! Un petit coup sur du solide, pour voir. *(Sifflement et formidable percussion.)* Bon. Enlève sa cagoule. *(Un temps.)* Ravissant visage, ravissant ! N'est-ce pas, mademoiselle ?

D. — C'est vrai, monsieur, nous le connaissons par cœur et cependant, chaque fois, c'est un choc.

A. — Le bâillon. *(Un temps.)* Le bandeau. *(Un temps.)* Les boules quies. *(Un temps.)* Bon. *(Il frappe sur son bureau avec une lourde règle cylindrique.)* Fox, ouvrez les yeux, qu'ils se réhabituent à la lumière du jour, et regardez autour de vous. *(Un temps.)* Vous voyez, c'est toujours la même équipe. J'espère que —

D *(avec saisissement).* — Oh !

A. — Qu'y a-t-il, mademoiselle ? Une petite bête dans vos jolis dessous ?

D. — Il m'a souri !

A. — C'est un bon départ. *(Inquiet.)* Ça ne serait pas la première fois ?

D. — Mon Dieu, non, monsieur, quelle idée !

A *(déçu).* — Evidemment. *(Un temps.)* Et ça vous fait encore de l'effet ?

D. — Mon Dieu, oui, monsieur, c'est si soudain ! Si clair ! Si bref !

A. — Vous le notez ?

D. — Oh non, monsieur, uniquement la parole. *(Un temps. Etonnée.)* Faut-il les noter aussi, monsieur, les jeux de physio ?

A. — Je ne sais pas, mademoiselle. Certains peut-être.

D. — Moi, vous savez —

A *(tranchant).* — N'en faites rien, pour

l'instant. *(Coup de règle.)* Fox, j'espère que vous avez passé une nuit réparatrice et qu'aujourd'hui vous serez mieux inspiré que jusqu'à présent. Mademoiselle.

D. — Monsieur.

A. — Relisez le rapport sur les résultats d'hier, il m'est légèrement sorti de la mémoire.

D *(lisant)*. — « Nous soussignés, réunis sous la — »

A. — Sautez.

D *(lisant)*. — « ... encore le regret de constater que ces propos — »

A. — Propos ! *(Un temps.)* Continuez.

D *(lisant)*. — « ... regret de constater que ces propos, comme tous ceux communiqués à ce jour, et en raison des mêmes insuffisances, sont totalement inacceptables. La seconde moitié, en particulier, présente une telle — »

A. — Sautez.

D *(lisant)*. — « ... à désespérer, véritablement, n'était la conviction que nous — »

A. — Sautez. *(Un temps.)* Eh bien ?

D. — C'est tout, monsieur.

A. — « Mêmes insuffisances... totalement inacceptables... à désespérer, véritablement... » *(Dégoûté.)* Eh ben. *(Un temps.)* Bon. Continuez.

D. — C'est tout, monsieur. A moins de lire les recommandations.

A. — Lisez-les.

D. — Elles ne sont pas tendres pour nous, monsieur.

A. — Voyons ça.

D *(lisant).* — « ... renouvelons avec instance nos précédentes recommandations, à savoir :

1°) Veiller à ne pas faire état de simples cris. Ils ne servent qu'à nous indisposer.

2°) Veiller à ce que vos minutes soient rigoureusement conformes. Chaque syllabe a son importance, ou peut l'avoir.

3°) Veiller à la parfaite neutralisation du sujet en dehors des heures de séance et tout particulièrement à la permanence et au bon fonctionnement du bâillon. A proscrire donc *absolument* — *(hors lecture)* un mot souligné — toute entorse à l'alimentation par voie de sonde, que ce soit *per buccam* ou que ce soit au contraire *per rectum.* La moindre parole lâchée dans la solitude et dont de ce fait, comme l'a démontré Mauthner, le besoin risque de ne plus se faire sentir, *peut être la bonne* — *(hors lecture)* quatre mots soulignés.

4°) Veiller — »

A. — Assez. *(Ecœuré.)* Eh ben. *(Un temps.)* Eh ben.

D. — Il est quatorze heures passées, monsieur.

A *(tiré de son accablement).* — Il est quoi ?

D. — Il est quatorze heures passées, monsieur.

A *(grossièrement).* — Qu'est-ce que vous attendez alors ? *(Un temps. Avec douceur.)* Pardon, mademoiselle, pardon, je suis ulcéré. *(Un temps.)* Pardon !

D *(froidement).* — Dois-je amorcer avec la chute d'hier ?

A. — Si vous voulez bien.

D *(lisant).* — « Quand j'ai eu savonné la taupe, rincé à grande eau et séché devant la braise, voilà pas que je ressors dans la tourmente et la remets dans son donjon avec son plein poids de vers blancs, à ce moment-là le petit cœur battait encore je le jure, ah mon

Dieu mon Dieu. *(Elle frappe avec son crayon sur le bureau.)* Mon Dieu. »

Un temps.

A. — Incroyable. Et il a fini là-dessus, si j'ai bonne mémoire.

D. — Oui, monsieur, il n'a plus rien voulu dire.

A. — Dick a donné ?

D. — Voyons... oui, par deux fois, monsieur.

Un temps.

A. — Cette réverbération ne vous incommode pas, mademoiselle ? Si l'on baissait le store ?

D. — Merci, monsieur, pas à cause de moi. Il ne fait jamais trop chaud, jamais trop clair, à mon idée. Mais j'enlèverai ma blouse, si vous le permettez.

A *(avec empressement)*. — Mais comment donc, mademoiselle, comment donc ! *(Un temps.)* Affolant ! Affolant ! Ah si j'avais quarante ans de moins !

D *(relisant)*. — « Ah mon Dieu mon Dieu. *(Coup de crayon.)* Mon Dieu. »

A. — Ah jeunesse ! Sans pitié ! *(Coup de règle.)* Vous entendez ? Enchaînez. *(Silence.)*

Dick. *(Nerf de bœuf sur de la chair. Petit cri de Fox. Un temps.)* Vous ne relevez pas, n'est-ce pas, mademoiselle ?

D. — Flûte ! Je vais gommer.

A. — Gommez, mademoiselle, gommez, nous avons déjà assez d'ennuis comme ça. *(Coup de règle.)* Enchaînez. *(Silence.)* Dick.

F. — Ah ça pour ça oui j'ai vécu on peut le dire, partout des pierres partout —

A. — Un instant.

F. — ... murailles pas plus loin —

A *(coup de règle).* — Silence ! Dick ! *(Silence. Bas, songeur.)* Vécu, vécu... *(Un temps.)* Il a déjà usé de cette formule, mademoiselle ?

D. — De quelle formule parlez-vous, monsieur ?

A. — « J'ai vécu »

D. — Oh oui, monsieur, c'est une idée qui revient quelquefois. Pas sous cette forme précise, peut-être, jusqu'à présent, cela je ne saurais vous le dire au pied levé. Mais des allusions à sa vie, sans être fréquentes, ne sont pas rares.

A. — A sa vie à lui ?

D. — Oui, monsieur, à la sienne de vie.

A. *(déçu).* — Evidemment. J'aurais pu m'en douter. *(Un temps.)* Quelle mémoire — que la mienne ! *(Un temps.)* Vous avez lu le Purgatoire, mademoiselle, du divin Florentin ?

D. — Hélas non, monsieur, j'ai seulement feuilleté l'Enfer.

A *(incrédule).* — Pas lu le Purgatoire ?

D. — Hélas non, monsieur.

A. — Là tout le monde soupire, Je fus, je fus. C'est comme un glas. Curieux, n'est-ce pas ?

D. — En quel sens, monsieur ?

A. — Eh bien, on s'attendrait plutôt à « Je serai », non ? *(Un temps.)* Non ?

D *(avec une tendre condescendance).* — Les pauvres ! *(Un temps.)* Il est près de quinze heures, monsieur.

A *(soupir).* — C'est bon. Reprenons.

D *(lisant).* — « ... murailles pas plus loin — »

A. — D'un peu plus loin, mademoiselle, voyons, la table n'est pas louée.

D *(lisant).* — « ... vécu on peut le dire, partout des pierres partout — *(hors lecture)* inaudible — murailles — »

A *(coup de règle)*. — Enchaînez. *(Silence.)* Dick.

D. — Monsieur.

A *(impatiemment)*. — Qu'est-ce que c'est, mademoiselle, vous ne voyez donc pas que le temps fuit ?

D. — J'allais dire de la douceur, monsieur, peut-être un peu de douceur.

A *(outré)*. — Déjà ? Et puis ? *(Fermement.)* Non, mademoiselle, je comprends votre sentiment. Mais j'ai ma méthode. Puis-je vous la rappeler ? *(Un temps. Suppliant.)* Ne dites pas non ! *(Un temps.)* Ah vous êtes mignonne ! Tu peux t'asseoir, Dick. *(Un temps.)* Elle tient en un mot : REDUIRE la pression, au lieu de l'augmenter. *(Lyrique.)* Caresse, épreuve suprême ! Fontaine de résipiscence ! *(Calmé.)* Dick, s'il te plaît. *(Nerf de bœuf sur de la chair. Petit cri de Fox.)* Attention, mademoiselle.

D. — N'ayez crainte, monsieur.

A *(coup de règle)*. — « ... murailles... » Murailles quoi ?

D. — « Pas plus loin », monsieur.

A. — C'est ça. *(Coup de règle.)* « ... murailles pas plus loin... » *(Coup de règle.)* Enchaînez. *(Silence.)* Dick.

D. — Monsieur !

F. — Pour ça oui, pas plus loin, et là les yeux, de bas en haut, haut en bas, lentement, âges, âges, et retour, petits lichens de mon petit temps, morts vifs dans les cailloux, et là, j'allais dans les galeries. *(Un temps. Coup de règle.)* Océans, ça aussi, on peut le dire, moi j'arrivais, par les couloirs, bleu en haut, bleu au bout, ça oui, et là aussi, pieds arrêtés tout s'arrêtait et adieu, adieu je tombais, adieu aux saisons, jusqu'au prochain voyage. *(Un temps. Coup de règle.)* Adieu.

Un temps. Coup de règle. Un temps.

A. — Dick.

F. — Pour ça oui, on peut le dire, pas plus loin, par terre au printemps, relevé en automne, ou l'inverse, que d'étés de sautés, que d'hivers.

Un temps.

A. — C'est bien, c'est joli. « Que d'étés de sautés... » Délicieuses, ces dentales. N'est-ce pas, mademoiselle ?

D } *(ensemble)* { — Oh moi vous sa-
F } { — Oh oui pour ça-

A. — Chut !

F. — ... fatigue, quelle fatigue, j'avais mon frère dans le ventre, mon vieux jumeau, être à sa place et lui à — ah mais non, mais non. *(Un temps. Coup de règle.)* Moi, me relever, repartir, vous voulez rire, c'était lui, il avait faim. Fais-toi ouvrir me disait Maud, on t'ouvre le bide, ce n'est rien, je lui donne le sein s'il vit encore, ah mais non, mais non. *(Un temps. Coup de règle.)* Mais non.

Un temps.

A *(découragé)*. — Ah là là.

D. — Il pleure, monsieur, dois-je noter ?

A. — Je ne sais vraiment quoi vous conseiller, mademoiselle.

D. — A titre de... comment dire... trait humain... ça se dit ?

A. — Je ne l'ai jamais rencontré, mademoiselle. Mais cela doit pouvoir se dire.

F. — Gratter gratter —

A. — Silence ! *(Un temps.)* Il est déchaîné !

D. — A ce titre-là... il me semble que... peut-être... à la rigueur...

Un temps.

A. — Connaissez-vous les œuvres de Sterne, mademoiselle ?

D. — Hélas non, monsieur.

A. — Je me trompe peut-être, mais il me semble qu'il y a là, quelque part, une larme qu'un ange vient recueillir... Oui, il me semble... Il est vrai qu'il était petit-fils d'archevêque. *(Mi-désolé, mi-fier.)* Ah ces vieux souvenirs de critique littéraire, ils vous guettent à chaque instant. *(Un temps. Brusquement décidé.)* Notez-le, mademoiselle, et à-Dieu-vat. Au point où nous en sommes... *(Un temps.)* Qui est cette femme... comment...

D. — Maud. Je ne sais pas, monsieur, il n'en a jamais été question, jusqu'à ce jour.

A *(excité)*. — Vous en êtes sûre ?

D. — Tout à fait sûre, monsieur. Voyez-vous, ma nounou s'appelait Maud, ce qui fait que le nom m'aurait frappé, s'il l'avait prononcé.

Un temps.

A. — Je me trompe peut-être, mais j'ai comme dans l'idée que c'est la première fois — évidemment, depuis le temps ! — la première fois qu'il... *nomme* quelqu'un. Non ?

D. — Ça se pourrait bien, monsieur. Je

ne saurais vous l'affirmer, naturellement, sans tout revoir. Ce serait très long.

A. — Et sa famille ?

D. — Jamais un mot. Cela m'a frappé. La mienne compte tellement, dans ma vie !

A. — Et tout d'un coup, dans la même période, une femme — avec prénom — et un frère. Avouez... !

Un temps.

D. — Ce jumeau, monsieur...

A. — Oui, je sais, pas très convaincant.

D *(indignée)*. — Mais c'est tout simplement impossible ! Dans son ventre ! A lui !

A. — Non non, ça se fait, ça se fait. La nature, vous savez... *(Petit rire.)* Heureusement ! Un monde sans monstres, vous voyez ça ! *(Petit temps pour l'imagination.)* Non, ce n'est pas ça qui me gêne. *(Avec chaleur.)* Voyez-vous, mademoiselle, ce qui compte, ce n'est pas tant la *chose,* en elle-même, ça m'étonnerait. Non, c'est le mot, c'est l'idée ! L'idée de frère, il l'a ! *(Un temps.)* Mais c'est surtout cette femme... quel nom vous dites ?

D. — Maud, monsieur.

A. — Maud !

D. — Et qui a du lait, par-dessus le marché, ou qui va en avoir.

A. — Bonté humaine ! *(Un temps.)* Si vous me rappeliez le passage, mademoiselle.

D *(relisant)*. — « Moi, me relever, repartir, vous voulez rire, c'était lui, il avait faim. Fais-toi ouvrir, me disait Maud, on t'ouvre le bide, ce n'est rien, je lui donne le sein s'il vit encore, ah mais non, mais non. *(Elle frappe sur le bureau avec son crayon.)* Mais non. »

Un temps.

A. — Et puis la larme.

D. — C'est cela même, monsieur. Ce que j'appelle le trait humain.

Un temps.

A *(ému, bas)*. — Mademoiselle.

D *(bas)*. — Monsieur.

A *(de même)*. — Toucherions-nous au but ? *(Un temps.)* Ah que vous êtes jolie quand vous montrez les dents ! Si seulement j'avais... *(il hésite)* ...trente ans de moins !

D. — Il est quinze heures et demie, monsieur.

A *(soupir)*. — Bon. Amorçez. *Ré*amorcez.

D. — « Oh mais non, mais — »

A. — « *Ah* mais non... » — Non ?

D. — Vous avez raison, monsieur. « Ah mais non — »

A *(sévèrement)*. — Faites attention, mademoiselle.

D. — « Ah mais non, mais non. *(Coup de crayon.)* Mais non. »

A *(coup de règle)*. — Enchaînez. *(Silence.)* Dick.

D. — Il dort.

A. — Peut-être un rien moins fort, Dick. *(Léger coup de nerf de bœuf.)* Ah tout de même, mieux que ça ! *(Violent coup. Petit cri de Fox. Coup de règle.)* « Ah mais non mais non. » Enchaînez.

F *(à tue-tête)*. — Laissez-moi partir ! Je veux aller claquer dans les galets !

A. — Ah là là là là là là ! Ça recommence. « Claquer dans les galets » !

D. — Heureusement qu'il est attaché.

A *(avec douceur)*. — Soyez raisonnable, Fox. Ne vous — assieds-toi, Dick — ne vous braquez pas comme ça. C'est dur, nous le savons. Cela ne dépend pas entièrement de vous, nous le savons. Vous pourriez couler de source jusqu'à votre dernier soupir sans que pour autant la... chose soit dite qui vous rende à vos chères solitudes, nous le savons. Mais, cela dit, une chose est sûre. Plus vous parlerez, plus vos chances seront grandes. N'est-ce pas, mademoiselle ?

D. — C'est l'évidence même.

A *(comme à un cancre)*. — Ne papillonnez pas ! Traitez le sujet — quel qu'il soit ! *(Il renifle.)* Plus de variété ! *(Renifle.)* Ces éternels sites sauvages, c'est beau *(renifle)*, mais ce n'est pas là que gîte le lièvre, ça m'étonnerait. *(Renifle.)* Ces schistes micacés, si vous saviez *(renifle)* l'effet que ça peut faire, à la longue. *(Renifle.)* Et votre faune ! Ces rats à poche ! *(Renifle.)* Vous n'auriez pas un mouchoir à me prêter, mademoiselle.

D. — Voilà, monsieur.

A. — Bien aimable. *(Il se mouche abondamment.)* Merci.

D. — Oh, vous pouvez le garder, monsieur.

A. — Non non, maintenant ça ira. *(A Fox.)* Evidemment nous ne savons pas, pas plus que vous, de quel... indice ou de quelle... formule il s'agit. Mais comme jusqu'à présent vous n'avez pu obtenir que cela vous échappe, ce n'est pas en ressassant les mêmes thèmes que vous allez y arriver, ça m'étonnerait.

D. — Il dort monsieur.

A *(lancé, s'échauffant).* — Quelqu'un, voilà peut-être la chose qui manque, quelqu'un qui vous aurait vu... *(se modérant)*... passer ! Je ne dis pas que c'est ça, mais essayez, essayez un peu, qu'est-ce que vous risquez ? *(Déchaîné.)* Même si ce n'est pas vrai !

D *(choquée).* — Oh monsieur !

A. — Un père, une mère, un ami, une... Béatrice, non, on ne vous demande pas l'impossible. Simplement quelqu'un qui vous aurait vu... passer ! *(Un temps.)* Cette femme... voyons...

D. — Maud, monsieur.

A. — Cette Maud, par exemple, vous vous êtes peut-être côtoyés. Cherchez bien !

D. — Il dort, monsieur.

A. — Dick — non, attends. Embrassez-le, mademoiselle, peut-être que ça lui fera vibrer quelque chose.

D. — Où, monsieur ?

A. — Au cœur, au ventre — ou ailleurs.

D. — Non, je veux dire l'embrasser où, monsieur.

A *(colère)*. — Mais sur sa saloperie de bouche, qu'est-ce que vous croyez ? *(La dactylo embrasse Fox. Hurlement de celui-ci.)* Au sang, baisez-la à blanc ! *(Hurlement de Fox.)* Sucez sa glotte !

Silence.

D. — Il a perdu connaissance, monsieur.

Un temps.

A *(embêté)*. — Ah... J'ai été peut-être un peu fort. *(Un temps.)* Ou bien je vous ai fait donner trop tôt.

D. — Mais non, monsieur, vous ne pouviez plus attendre, c'est l'heure. *(Navrée.)* C'est moi qui m'y suis mal prise.

A. — Allons, allons, mademoiselle ! A d'autres ! *(Un temps.)* L'heure déjà ! *(Navré.)* Je parle trop.

D. — Allons, allons, monsieur, ne dites pas ça ! C'est votre rôle — d'animateur.

Un temps.

A. — Cette larme, mademoiselle, vous vous rappelez ?

D. — Oh oui, monsieur. Nettement.

A *(Inquiet).* — Ce n'est peut-être pas la première ?

D. — Mon Dieu, non, monsieur, quelle drôle d'idée !

A *(déçu).* — C'est bien ce que je craignais.

D. — L'hiver dernier, tenez, il en a eu plusieurs, vous ne vous rappelez pas ?

A. — L'hiver dernier ! Mais, chère mademoiselle, je ne me rappelle pas hier, il est tombé dans le trou avec les premiers baisers. L'hiver dernier ! *(Un temps. Bas, ému.)* Mademoiselle.

D *(bas).* — Monsieur.

A. — Cette... Maud...

Un temps.

D *(ton encourageant).* — Oui, monsieur.

A. — Eh bien... vous savez... je ne voudrais pas... j'ose à peine le dire... mais il me semble que... là... peut-être... nous tenons enfin quelque chose.

D. — Dieu vous entende, monsieur.

A. — Surtout avec cette larme, tout de suite après. Ce n'est pas la première, d'accord. Mais dans un contexte pareil !

D. — Et le lait, monsieur, n'oubliez pas le lait.

A. — Le sein ! On le voit presque !

D. — Qui l'a mise dans cet état, ça aussi on peut se le demander.

A. — Quel état, mademoiselle, je ne vous suis pas.

D. — Quelqu'un l'a fécondée. *(Un temps. Impatiente.)* Si elle a du lait, c'est que quelqu'un a dû la féconder !

A. — Bien sûr !

D. — Qui ?

A *(très excité)*. — Vous voulez dire...

D. — Je me le demande.

Un temps.

A. — Voulez-vous nous relire le passage, mademoiselle.

D *(relisant)*. — « Fais-toi ouvrir — »

A *(ravi)*. — Ce tutoiement ! Pardon, mademoiselle.

D *(relisant)*. — « Fais-toi ouvrir, me disait Maud, on t'ouvre — »

A. — Ne sautez pas, mademoiselle, le texte intégral, je vous en supplie.

D. — Je ne saute rien, monsieur. *(Un temps.)* Qu'est-ce que j'ai sauté, monsieur ?

A *(solennellement)*. — « Entre deux baisers. » *(Sarcastique.)* Rien que ça ! *(Colère.)*

Comment voulez-vous que nous en sortions si vous supprimez des perles de cette importance ?

D. — Mais, monsieur, il n'a jamais rien dit de pareil.

A *(colère)*. — « — me disait Maud, *entre deux baisers*, etc. » Rétablissez.

D. — Mais, monsieur, je —

A. — De quoi vous foutez-vous, mademoiselle ? De mon oreille ? De ma mémoire ? De ma bonne foi ? *(Tonnant.)* Rétablissez !

D *(faiblement)*. — Bon, monsieur.

A. — Voyons ce que ça me donne maintenant.

D *(d'une voix incertaine)*. — « Fais-toi ouvrir, me disait Maud, entre deux baisers, on t'ouvre le bide, ce n'est rien, je lui donne le sein s'il vit encore, ah mais non, mais non. *(Faible coup de crayon. A peine audible.)* Mais non. »

Silence.

A. — Ne pleurez pas, mademoiselle. Essuyez vos jolis yeux et souriez-moi. Demain, qui sait, nous serons libres.

(années 60 ?)

esquisse radiophonique

Lui. — *(voix triste).* Madame.

Elle. — Vous allez bien ? *(Un temps.)* Vous m'avez demandé de venir.

Lui. — Je ne demande à personne de venir ici.

Elle. — Vous avez souffert que je vienne.

Lui. — Je paie mes dettes.

Un temps.

Elle. — Je suis venue pour écouter.

Lui. — Quand vous voudrez.

Un temps.

Elle. — C'est vrai que ça joue tout le temps ?

Lui. — Oui.

Elle. — Sans arrêt ?

Lui. — Sans arrêt.

Elle. — C'est inconcevable. *(Un temps.)* Et ça parle tout le temps ?

Lui. — Tout le temps.

Elle. — Sans arrêt ?

Lui. — Oui.

Elle. — C'est inimaginable. *(Un temps.)* Vous êtes donc là tout le temps ?

Lui. — Sans arrêt.

Un temps.

Elle. — Vous avez l'air bien inquiet. *(Un temps.)* Peut-on les voir ?

Lui. — Non, madame.

Elle. — Je ne peux pas aller les voir ?

Lui. — Non, madame.

Un temps.

Elle. — Vous êtes froid. *(Un temps.)* C'est ces deux boutons-là ?

Lui. — Oui.

Elle. — Qu'à appuyer ? *(Un temps.)* C'est en direct ? *(Un temps.)* Je vous demande si c'est en direct.

Lui. — *(avec lassitude.)* Mais bien entendu, madame. *(Un temps.)* Non, il faut tourner. *(Un temps.)* À droite.

Déclic.

Musique. ....

Silence.

Elle. — *(étonnée).* Mais ils sont plusieurs !

Lui. — Oui.

Elle. — Combien ?

Lui. — Cinq... six... *(Un temps.)* A droite, madame, à droite.
Déclic.

Voix. ....

Elle. — *(avec la voix).* On ne peut pas avoir plus fort ?

Voix. *(plus fort)* ....
Silence.

Elle. — *(étonnée).* Mais il est seul !

Lui. — Oui.

Elle. — Tout seul ?

Lui. — Quand on est seul on est tout seul.
Un temps.

Elle. — Qu'est-ce que ça donne ensemble ?
Un temps.

Lui. — A droite, madame.
Déclic.

Musique. *Très brève, puis*

Musique.
Voix. } *Ensemble* ....
Silence.

Elle. — Ils ne sont pas ensemble ?

Lui. — Non.

Elle. — Ils ne peuvent pas s'entendre ?

Lui. — Non.

Elle. — Ça, par exemple !

Un temps.

Lui. — A droite, madame.

Déclic.

Voix. ....

Elle. — *(avec voix).* Moins fort.

Voix. *(moins fort)* ....

Silence.

Elle. — Ça vous plaît, à vous ?

Un temps.

Lui. — J'en ai besoin.

Elle. — Besoin ? De ça ?

Lui. — C'est devenu un besoin. *(Un temps.)* A droite, madame.

Déclic.

Musique. ....

Elle. — *(avec la musique).* Plus fort.

Musique. *(plus fort).* ....

Silence.

Elle. — Ça aussi ? *(Un temps.)* Besoin de ça aussi ?

Lui. — C'est devenu un besoin, madame.

Un temps.

Elle. — Ils sont dans la même situation ?

Un temps.

Lui. — Je ne comprends pas.

Elle. — Sont-ils... soumis aux mêmes... conditions ?

Lui. — Oui, madame.

Elle. — Par exemple ? *(Un temps.)* Par exemple ?

Lui. — On ne peut pas les décrire, madame.

Un temps.

Elle. — Eh bien, je vous remercie.

Lui. — Permettez. Par ici.

Un temps.

Elle. — *(d'un peu plus loin).* C'est un Aubusson ?

Lui. — *(de même).* Non, madame. Permettez.

Elle. — *(d'encore un peu plus loin).* Vous avez l'air bien inquiet. *(Un temps.)* Bon, je vous laisse. *(Un temps.)* A vos besoins.

Lui. — *(de même).* Adieu, madame. *(Un temps.)* A droite, madame, là c'est les ordures — *(en appuyant à peine)* — ménagères. *(Un temps.)* Adieu, madame.

Un temps long. Bruit de rideaux tirés brutalement, crépitement en deux temps des lourds anneaux cou-

rant sur la tringle. Un temps. Récepteur de téléphone décroché avec un tout petit bruit de sonnerie — comme ça arrive. Aucun autre bruitage. Un temps.

Mademoiselle... le docteur est là ?... ah... oui... qu'il m'appelle... Macgillycuddy... Macgilly-cuddy... c'est ça... il saura... *(plus fort)*... et mademoiselle !... mademoiselle !... ah !... c'est urgent... oui... *(Aigu)*... très urgent ! *Un temps. Récepteur raccroché avec même petit bruit de sonnerie. Un temps. Déclic.*

Musique. ....

Lui. — *(avec musique).* Bon Dieu !

Silence. Un temps. Déclic.

Voix. ....

Lui. — *(avec voix, aigu).* Allez ! Allez !

Voix. ....

Silence.

Lui. — *(bas).* Qu'est-ce que je vais faire ? *(Un temps. Récepteur décroché avec même petit bruit de sonnerie. Un temps.)* Mademoiselle... Macgilly-cuddy... Mac-gilly-cuddy... c'est ça...

je m'excuse, mais... ah... oui... bien sûr... impossible de le joindre... aucune idée... je comprends... c'est ça... tout de suite... dès qu'il rentre... comment... *(aigu)*... mais oui ! Je vous l'ai dit ! Très urgent ! Très urgent ! *(Un temps. Bas.)* Connasse !

Bruit de récepteur raccroché cette fois avec une certaine violence, avec même petit bruit de sonnerie. Un temps. Déclic.

Musique. *(brève)*. ....

Silence. Déclic.

Voix. *(brève)*. ....

Lui. — *(avec voix, aigu)*. Mais c'est fou ! C'est pareil !

Musique. }
Voix. } *Ensemble*. ....

Sonnerie de téléphone. Récepteur décroché aussitôt, à peine une seconde de sonnerie.

Lui. — *(avec voix et musique)*. Oui... un instant... *(Voix et musique s'arrêtent. Très agité.)* Oui... oui... bon, ça va... ce qu'il y a... ils s'arrêtent...

S'AR-RETENT... ce matin... mais non... mais pas du tout, ils S'AR-RETENT, je te dis... je sais qu'il n'y a rien à faire... mais non, c'est moi... MOI... comment ?... je te dis qu'ils S'ARRETENT... je ne peux pas rester avec ça, après... comment ?... qui ?... mais elle m'a quitté... merde... mais bien sûr, tout le monde m'a quitté, tu ne savais pas ça, tu ne savais pas ça ?... mais bien sûr que je suis sûr... quoi ?... dans une heure ?... pas avant ?... attends ?... *(plus bas)*... avec ça ils sont ensemble... *(fort)*... ENSEMBLE... oui... je ne sais pas, comme... *(hésitation)*... d'accord, la respiration, je ne sais pas... *(véhément)*... mais non, mais non, jamais !... se rejoindre ?... comment veux-tu qu'ils se rejoignent ?... quoi ?... qu'est-ce qui se ressemble ?... les râles ?... hé !... t'en va pas !... hé !... *(Bruit de récepteur raccroché avec violence, avec même petit bruit de sonnerie. Bas.)* Salopard !

Un temps. Déclic.

Musique. *(faiblissant)* ....

Puis

Musique.
Voix. } *Ensemble, faiblissant* ....

Sonnerie de téléphone. Récepteur décroché un peu moins vite.

Lui. — *(avec musique et voix, voix blanche).* Mademoiselle... *(temps long)*... un accouchement... *(temps long)*... deux accouchements... *(temps long)*... un quoi ?... quoi ?... par le siège... comment ?... *(temps long)*... demain midi...

Un temps. Récepteur raccroché doucement, avec petit bruit de sonnerie.

Musique.
Voix. } *Ensemble, finissant, avec silences et reprises de plus en plus faibles.*

Silence.

Lui. — *(souffle).* Demain... midi.

(années 60 ?)

CET OUVRAGE A ÉTÉ ACHEVÉ D'IMPRIMER LE VINGT-CINQ JUIN MIL NEUF CENT QUATRE-VINGT-QUATRE SUR LES PRESSES DE JUGAIN IMPRIMEUR S.A. A ALENÇON ET INSCRIT DANS LES REGISTRES DE L'ÉDITEUR SOUS LE NUMÉRO 1911

Dépôt légal : juin 1984